아기곰 노마

한국프뢰벨주식회사

내 이름은 노마.
아기곰이랍니다.

난 엄마가 안아 주실 때
가장 행복해요.

우리 아빠예요.

나무꾼들은 우리 아빠만 보면 도망가요.

무서운가 봐요.

싸우지 말라고요?
하하, 싸우는 게 아니라,
동생과 씨름하는 거예요.
얼마나 재미있는데요!

높은 나무에서 뛰어내리기도

재미있지요.

내가 가장 좋아하는 건

꿀이에요.

온몸이 꿀투성이가 돼도 괜찮아요.

이렇게 씻으면 되니까요.
'앗! 물고기가 코 앞에 있네!'

"난 물고기가 정말 싫어!"
이렇게 말하는 곰은 세상에 하나도 없어요.
물고기는 아주 맛있으니까요.

나뭇잎이 떨어지는 가을이 지나면

곧 겨울이 오겠죠?

겨울은 졸린 계절이에요.

아함~! 벌써 졸리네요.

난 즐거운 꿈을 꾸며 잔답니다.
따뜻한 봄이 되어,
예쁜 꽃과 나비 들을 만날 꿈 말이에요.

7세 이하의 어린이에게서 발견할 수 있는 대표적인 특징 가운데 하나가

모든 사물에는 생명이 있다고 생각하는 것입니다. 이와 같은 물활론적 사고는

어린이가 해, 구름, 바람과 같은 자연물뿐 아니라 자신의 놀잇감, 심지어

자동차나 가방에도 생명이 있다고 생각하여 그것들과 대화하고 그들의 생명체적

특징을 발견해 내며 즐거워하게 합니다.

이 시기 어린이의 지적 발달을 고려하여 기획된 '나랑 놀자' 시리즈는

동물이나 사물이, 자신의 생김새나 역할 등을 사실성이 가미된

예쁜 이야기로 소개하고 있는 그림책입니다.

어린이들에게 친숙한 동물들, 호기심을 끄는 사물들, 여러 가지 탈것 등을 소재로 하여

펼쳐지는 이야기들은 사물을 보는 작가의 독특한 관점에

매력적인 일러스트가 더해져 기존의 그림책들과 차별화되고 있습니다.

영국, 독일, 프랑스 등 세계 각지에서 이미 어린이들의 사랑과 부모님의 호평을 받고 있는

이 그림책들은, 창의적인 줄거리와 세련된 화면 구성으로

어린이들의, 그림책을 보는 안목을 한층 높여 줄 것입니다.

또한 그림의 조각들이 전체 그림의 어떤 부분인지 찾아보는 놀이 활동을 통해

어린이의 시각적 변별력, 관찰력 등을 기를 수 있도록 했습니다.

나랑 놀자 14 **아기곰 노마** | 알랭 크로종 글 · 그림
펴낸날 2002년 4월 30일 | 펴낸이 정아람 | 펴낸곳 (주)베틀북 | 등록번호 제16-1516호
주소 서울특별시 강남구 삼성동 170 대원빌딩 3층 (우)135-882 | 대표전화 (02)2192-2300 | 팩스 (02)2192-2399
MOI Martin L'OURS BRUN Text and Illustrations by Alain Crozon
© 1995 by Albin Michel Jeunesse. All rights reserved.
Korean translation copyright © Better Books, a member of Korea - Froebel Family, 1997.
Korean translation rights arranged with Albin Michel Jeunesse through Eric Yang Agency.

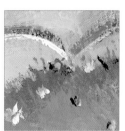

아기곰 노마

그림 죠각 찾기

이 조각 그림들이 앞에 있는 그림의 어느 부분인지
각 페이지의 그림에 네모 액자를 대고 찾아보세요.